Le Club de la Pluie
brave les tempêtes

Malika Ferdjoukh

Le Club de la Pluie
brave les tempêtes

Le fantôme des Pierres–Noires
suivi de
Le mystère des chaussons rouges

l'école des loisirs
11, rue de Sèvres, Paris 6e

Illustrations de Cati Baur

Ces histoires ont été publiées dans la revue
Moi je lis en janvier et octobre 2011

ISBN 978-2-211-22501-4

*© 2016, l'école des loisirs, Paris, pour la présente édition
dans la collection « Maximax »
© 2014, l'école des loisirs, Paris
Loi n° 49.956 du 16 juillet 1949 sur les publications
destinées à la jeunesse : août 2014
Dépôt légal : janvier 2016
Imprimé en France par Gibert Clarey Imprimeurs
à Chambray-lès-Tours*

Édition spéciale non commercialisée en librairie

Pour Annabelle Fati
Pour Rayan Silmi, mon petit chéri

Le fantôme des Pierres-Noires

raconté par
Ambroise

NUIT DE TEMPÊTE

Je n'arrivais pas à dormir. Cette nuit-là était une fureur de vent et de neige. Notre vieille ville de Saint-Malo tremblait entre ses grosses murailles. Minuit a sonné au carillon de la cheminée du salon.

Trois minutes après, quelqu'un a frappé à la porte en bas.

J'ai entendu Clipper aboyer, puis la voix de maman dans le couloir qui demandait :

— Si tard ! Et par ce temps affreux… Qui ça peut être ?

Papa et maman ont descendu le petit escalier en bois qui mène à la loge au rez-de-chaussée. Mes parents sont les gardiens du pensionnat des Pierres-Noires.

Je me suis assis sur le lit. Oui, qui pouvait venir à une heure pareille, par un temps pareil ? En pleines vacances d'hiver, en plus ! Les élèves ne seraient de retour qu'après-demain.

J'ai quitté mon lit. La tempête grondait dans les tuyaux de la chaudière. En bas, on a frappé plus fort.

— J'arrive ! a dit papa.

Un léger halo jaune a glissé sous ma porte : il venait d'allumer la loge. Frissonnant, je me suis faufilé dans le couloir. Je me suis caché derrière la balustrade en haut de l'escalier pour observer.

Papa a tiré le verrou, entrebâillé la porte… Un tourbillon de flocons glacés a jailli dans la pièce, soulevé la nappe. J'ai descendu trois marches, et tendu le cou pour mieux voir.

Sur le seuil, se tenaient deux personnes : une jeune fille en manteau gris et une dame enfouie dans un épais châle mauve. Papa les a fait entrer et a refermé en hâte. Le vent a rugi plus fort, furieux qu'on lui claque la porte au nez.

— On vous attendait la semaine prochaine ! a dit papa.

— Vous êtes frigorifiées, a dit maman. Je fais un thé.

Dans la lumière j'ai reconnu la jeune fille. Clipper aussi. Il lui a fait la fête.

Jeanne Eyrmont est la filleule de notre directrice, Mlle Renard. Elle vient lui rendre visite plusieurs fois dans l'année. Elle est aussi la petite-fille du fondateur du pensionnat des Pierres-Noires.

Je n'avais encore jamais vu la dame avec le châle mauve. Jeanne l'a présentée :

– Ma cousine, Rachel Danvert. Je… je ne voulais pas voyager seule.

Elle était toute secouée de frissons et je suis certain que ce n'était pas uniquement à cause du froid. Dans ses yeux on lisait la peur, une effroyable peur.

Elle s'est assise, lasse. Sa cousine a posé une main réconfortante sur son bras. Jeanne lui a souri, d'un pauvre sourire fatigué.

– Merci, monsieur Lupin, a murmuré Jeanne à papa qui posait deux tasses de thé brûlant sur la table.

Tout en buvant, elle jetait des regards inquiets autour d'elle. J'étais toujours bien caché derrière ma balustrade, on ne pouvait pas me voir.

– Marraine m'a proposé de venir un peu plus tôt, pour me reposer.

Elle a eu un petit rire de nervosité.

– Je… je suis en train de devenir folle.

– Voyons, mademoiselle Eyrmont ! a fait gentiment papa.

– Ne dites pas de bêtises, l'a réconfortée maman. Je ne connais personne de plus raisonnable que vous.

– Pourtant… Je crois que mon pauvre cerveau déraille. Je vois des choses… qui ne peuvent pas exister. Heureusement, Rachel est là et veille sur moi, a-t-elle conclu faiblement, avec un autre sourire de gratitude.

Mme Danvert lui a tapoté l'épaule. Elle s'est levée, lui a pris la tasse vide des mains et l'a posée sur la table. Elle s'est excusée d'une voix douce :

– Désolée de vous avoir dérangés si tard, nous n'avions pas les clefs, a-t-elle dit à mes parents. Maintenant, il faut que Jeanne aille se coucher, tout cela l'a épuisée.

Elles ont remercié, souhaité bonne nuit. J'allais remonter dans ma chambre, mais… j'ai oublié cette maudite neuvième marche qui griiiiiince !

Papa ne m'a pas disputé. Il a esquissé son gentil sourire en coin.

– Puisque tu es là, accompagne ces dames. Tu allumeras les radiateurs. Voici la clef de la lingerie pour les draps et les couettes.

Jeanne Eyrmont m'a ébouriffé les cheveux.

— Bonsoir, Ambroise ! a-t-elle dit avec chaleur. Pardon de t'avoir réveillé.

Clipper sur les talons, je les ai conduites jusqu'à la grande tour. Celle-là même où notre Club de la Pluie avait déjoué un complot cet automne*.

Dans les longs couloirs déserts, le vent soufflait sous les portes des dortoirs vides. Que j'avais hâte que l'école reprenne ! De retrouver les filles et Milo pour que le Club de la Pluie soit de nouveau au complet !

À un tournant, Clipper a grogné. Jeanne Eyrmont a tressailli. Sa main anxieuse s'est posée sur la tête de mon chien.

— Qu'est-ce qui se passe, Clipper ? Tu as entendu quelque chose ?

Mais il n'y avait rien. Ni personne.

— Probablement une souris, ai-je dit.

Je les ai aidées à s'installer. Au retour, à l'étage au-dessous cette fois, Clipper a de nouveau grogné.

J'ai alors aperçu une silhouette au bout du couloir… Elle a glissé furtivement et a disparu par une porte.

* Voir *Le Club de la Pluie au pensionnat des mystères*.

J'ai failli l'appeler car j'avais reconnu Charles Moriarty, notre surveillant. Mais je me suis ravisé. Il se cachait, c'était évident.

Pourquoi ? Et... de qui ?

MYSTÈRE D'AMOUR

C'est assez génial d'être le fils des gardiens aux Pierres-Noires. Je connais l'envers du décor que les autres élèves ne voient jamais.

En cette veille de rentrée, la directrice, les surveillants, les professeurs et tout le personnel des Pierres-Noires s'agitaient pour accueillir les pensionnaires qui allaient débarquer ce soir.

Vers midi, Mme Danvert est passée devant la loge. Elle revenait du marché avec un panier rempli de légumes.

— Pour faire une soupe à Jeanne ! a-t-elle expliqué à maman.

— Elle a passé une bonne nuit ?

— Oui. Elle était reposée, ce matin.

Avant que maman ne me propose de l'aider à porter ses provisions, j'ai filé dans la salle informatique.

Je l'avais pour moi seul quelques heures encore. Les membres du Club de la Pluie m'avaient peut-être adressé des messages… ?

Yes ! J'en avais trois !

« Trouve-nous un mystère aux petits oignons pour notre retour ! réclamait Rose Dupin, toujours prête pour l'aventure. Je ne veux ni mourir idiote ni mourir d'ennui ! »

« Je n'arrive pas à fermer ma valise ! se plaignait Nadget Mellaoui. Et je n'y ai rangé que mes barrettes ! »

Il lui en faudrait sûrement deux ou trois pour y caser sa ribambelle de tee-shirts, de souliers, de sacs, ainsi que les innombrables peignes qui n'arriveraient jamais à bout de ses innombrables boucles.

Milo, lui, écrit rarement. Mais il avait envoyé une photo de lui, en cape de soie étoilée et chapeau haut-de-forme. Durant ces vacances, il avait assisté l'Illustre Luigi Phenomenio, le prestidigitateur de la fête foraine. Rouletabille prenait la pose sur son épaule, lui aussi en tenue de magicien.

Soudain, par la porte entrebâillée, j'ai entendu des voix dans le couloir. Celle de M. Moriarty disait :

– Enfin je te retrouve, ma Jeanne ! Je dois te parler ! Écoute-moi ! Il faut que je t'explique tout.

– Non, lui a répondu la voix de Jeanne Eyrmont. Tout est fini entre nous depuis longtemps.

Incroyable ! Notre pion et la filleule de la directrice ! Ils se connaissaient… J'en suis resté cloué sur ma chaise.

– Mais c'est pour toi que je me suis fait engager ici, aux Pierres-Noires ! continuait-il d'un ton suppliant. Quand j'ai appris que tu y venais souvent, j'ai caressé l'espoir insensé de te revoir enfin ! Jeanne, ma chérie…

– Charles, je… a murmuré la voix tremblante d'émotion de Jeanne Eyrmont.

– Laisse-moi tout te raconter…

Mais il n'a rien pu raconter ni expliquer car, soudain, une troisième voix est intervenue :

– Laissez-la tranquille ! a grogné Mme Danvert. Partez. Vous lui avez brisé le cœur et l'avez fait assez pleurer, cette pauvre enfant.

Et leurs pas se sont éloignés.

Quelques secondes plus tard, j'ai entendu M. Moriarty qui repartait lui aussi, seul, lentement. Comme sous le poids d'une tristesse très lourde.

J'ai attendu que le silence soit revenu. Puis je suis sorti de la salle, le cœur battant. Quelle histoire ! J'avais doublement hâte de retrouver les autres !

*
* *

– Rôôôh… a soupiré Nadget, les yeux écarquillés, la main sur le cœur. Une vraie histoire d'amour fou ! Sous les toits de notre cher vieux pensionnat !

Rose et elle avaient à peine débarqué du car, dans la neige, que je leur racontais tout. Milo, lui, était déjà au courant. Sa tante, Mme Astarté, l'avait déposé en camionnette une heure plus tôt. La tempête avait cessé mais il faisait terriblement froid.

– Pauvre M. Moriarty, a dit Rose. Notre pion préféré. Il est si gentil. Je me demande pourquoi Jeanne Eyrmont lui refuse son amour.

– Moi aussi, a repris Nadget, j'ai déjà été folle amoureuse.

– Le monde s'écroule si on te demande de qui ? a gloussé Rose.

– Woody le cow-boy. J'avais 5 ans. Au fait, vous ne me dites rien sur mon tatouage au thé vert ?

Elle a retiré sa mitaine à fanfreluches roses pour nous exhiber son poignet orné d'un trèfle au vert resplendissant. Elle a fait une grimace.

– Le mode d'emploi prétend que ça s'enlève facilement mais rien à faire. J'ai poncé, frotté au savon, à la Javel… Ça ne s'efface pas.

— Tu as essayé le feu ? a dit Milo.

On a éclaté de rire. Clipper frétillait d'allégresse. C'était trop bien de se retrouver. Le Club de la Pluie au complet.

Presque.

— Ça n'a pas été trop dur de laisser Rouletabille ?

Bien sûr, les singes, même petits, même drôles, même très intelligents, ne sont pas encore admis dans les écoles. Milo a joué des sourcils, il s'est penché et nous a confié en chuchotant :

— Ce soir, quand tout le monde dormira, ma tante a promis de me l'amener à la grille. Vous viendrez ?

UN CRI DANS LA NUIT

J'ai quitté la maison à pas de loup, par la porte arrière. Brrr… La nuit était d'un bleu de glace, à peine éclairée par la neige.

Milo s'était faufilé hors du dortoir des garçons, et on a retrouvé Rose et Nadget un peu avant la grille du parc.

– Je viens de voir un mulot ! a annoncé Nadget dans un frisson. Et une araignée aussi…

– Et tu vas voir un singe, a noté Rose. C'est comme si tu visitais un zoo en dix minutes.

On avait mis nos doudounes. La neige craquait sous nos bottes. On avait l'impression de marcher dans du sorbet.

Mme Astarté nous attendait à la grille avec Rouletabille, tous deux en toque à la Cosaque, veste de fourrure et gants à broderies.

On est restés un moment à jouer avec le petit singe, à rire de ses mimiques, à le caresser. Puis Mme Astarté a dit :

— Allez, zou, tous au dodo ! Vous allez attraper une bronchite !

On a regardé sa camionnette démarrer. Rouletabille a fait des signes d'adieu derrière le pare-brise. En silence, on a raccompagné les filles jusqu'à l'étage de leur dortoir (à cause du mulot et de l'araignée, n'est-ce pas).

Nous étions sur le palier qui donne sur la porte de la grande tour lorsqu'un cri a déchiré la nuit ! Un cri qui glaçait le sang !

— C'est quoi ? ai-je soufflé. Le mulot ?

On n'en menait pas large. La seconde d'après, la lumière s'est allumée et Jeanne Eyrmont est apparue, essoufflée, tremblante.

Trop bouleversée pour s'étonner de notre présence à cette heure-là, elle a balbutié :

— Vous… avez vu quelque chose ?

— Quoi ? Qu'est-ce qu'il fallait voir ?

Elle a fermé les yeux.

— Là-bas, dans la lingerie. Je cherchais une couverture supplémentaire… et… et…

Elle a secoué la tête.

– Non… impossible… je perds vraiment la raison…

Elle était au bord des larmes. Rose lui a pris la main.

– Racontez-nous. Qu'est-ce qui s'est passé dans la lingerie ?

Après une hésitation, Jeanne y est retournée avec nous. La lingerie était vide.

Alertées par le cri de Jeanne, Mlle Renard et Rachel Danvert ont accouru, toutes deux en robes de chambre qui leur battaient les chevilles. Une minute plus tard, c'était Charles Moriarty dans un pyjama imprimé de planètes bleues qui nous rejoignait dans le couloir. Frissonnante, Jeanne a raconté :

– Je… me trouvais devant cette étagère quand soudain… la lumière s'est éteinte. Alors quelque chose… m'a serré le bras, m'a pris la main. C'était glacé. Horrible. J'ai aperçu une ombre blanche… flottante… dans l'obscurité. J'ai hurlé. Je me suis dépêchée de rallumer et…

– Et… ?

– Il n'y avait personne.

Perplexes, on s'est tous fixés. On n'avait pas croisé une âme sur le palier. Aucun humain n'était sorti de la lingerie, excepté Jeanne.

Un fantôme ?

– Il… enfin, *la chose* m'a donné ceci.

Dans son poing, Jeanne serrait un papier. Mlle Renard, sa marraine, le lui a doucement retiré des doigts, l'a défroissé.

Quelqu'un y avait écrit ces lignes insensées :

Le goéland passe au rouge, prends garde à toi !

Le goéland devient vert, la mort est devant toi !

JEANNE VOIT ROUGE

Chaque mercredi, Mlle Renard vient prendre le thé avec maman, dans la loge. Elles disent qu'elles font le point sur le travail. En réalité, elles papotent.

Cet après-midi, j'étais avec Clipper, plongé dans le canapé et mon livre de chimie. Entre deux paragraphes, je croquais un palet breton. Clipper interceptait les miettes.

Soudain, des mots m'ont alerté : Jeanne, ma filleule… son fiancé… immense déception… terrible chagrin…

J'ai oublié chimie et palet breton pour suivre attentivement leur conversation.

— Pauvre chère petite, soupirait Mlle Renard. Je ne l'ai jamais rencontré, elle devait nous le présenter… Elle en était si follement amoureuse. Jusqu'au jour où…

Zut ! Elle chuchotait. J'avais beau tendre l'oreille, impossible de rien distinguer.

— Quelle tristesse ! a murmuré maman pour finir. J'en pleurerais, tiens. Quel choc ç'a dû être…

— C'est pourtant une fille bien, a repris Mlle Renard de sa voix normale. Je suis heureuse qu'elle soit l'héritière des Pierres-Noires. Cette école lui tient à cœur. L'avenir de notre pensionnat sera entre de bonnes mains.

J'ai filé rejoindre les autres qui réalisaient un bonhomme de neige dans le parc.

— Super ! Tes palets bretons tombent à pic pour lui faire des oreilles ! a crié Rose, l'air réjouie.

Je leur ai rapporté ce que je venais d'entendre.

— Rôôôh… a gémi Nadget. M. Moriarty est donc un lâche séducteur, un vil menteur, un affreux…

— Pas de jugement rapide ! l'a stoppée Milo. Une chose est sûre… Mlle Renard ne sait pas que le vilain fiancé et Charles Moriarty ne font qu'un ! Jeanne n'a rien dit. Cela prouve…

— Qu'elle l'aime encore ! a soupiré Nadget, romantique éperdue.

— Qu'elle ne veut pas qu'il perde son job, en tout cas ! a dit Milo, réaliste.

– Qu'elle ne veut pas qu'il parte, tu veux dire. Parce qu'elle l'aime encore, a répété Nadget avec un grand soupir.

– Il faudrait pouvoir interroger Jeanne Eyrmont, a dit Rose, pensive.

*
* *

Par chance, maman avait confectionné des crêpes ce jour-là.

– Je peux aller en offrir à Jeanne Eyrmont?

Elle a été évidemment d'accord. J'ai averti les autres et on est tous montés. Rose portait la confiture, Nadget les couverts et les serviettes, Milo des assiettes, et moi les crêpes.

C'est sa cousine, Mme Danvert, qui nous a ouvert, un tricot à la main, dans sa longue robe de chambre tombant sur ses pantoufles.

– C'est gentil, a-t-elle dit en voyant ce que nous apportions. Notre pauvre Jeanne ne se sent pas très bien.

Étendue sur un canapé, Jeanne semblait bouleversée.

– Je… je suis rentrée tout à l'heure et… oh! Vous ne voyez pas?

On a regardé autour de nous sans comprendre.

– Les goélands ! Regardez.

Et on a vu. Il s'agissait d'un grand dessin dans un cadre, posé sur la commode. Trois goélands volaient dans un ciel qui les teintait d'un bleu violet.

Sauf un. Il était… rouge vif !

Le goéland passe au rouge, prends garde à toi !

Le goéland devient vert, la mort est devant toi !

– Voyez ? Avant, ils étaient TOUS bleus ! a gémi Jeanne.

La cousine Rachel a remonté la couverture sur elle.

– J'ai fait une citronnade, a-t-elle dit avec douceur. L'un de vous peut-il apporter le sucre ?

On a disposé le goûter. Mais Jeanne n'a touché à rien.

– Elle n'aurait jamais dû venir ici, a dit sa cousine en mordant une crêpe. Cet horrible Moriarty lui a fait la méchante surprise de réapparaître.

– M. Moriarty est très gentil avec les élèves ! a objecté Nadget, loyale. C'est notre pion préféré.

– Quand je l'ai connu, il était bon et généreux, a murmuré Jeanne Eyrmont. Peut-il avoir tant changé ?

– Que s'est-il passé entre vous ? a gentiment demandé Rose.

– Il devait venir demander ma main à mes parents. Mais le jour du rendez-vous, il n'était pas à la gare. Et... je n'ai plus jamais eu de nouvelles. Plus jamais. Je ne l'ai revu qu'à mon arrivée ici... Ne dites rien à ma marraine : il a besoin de ce travail pour payer ses études de chimie.

– Ce goujat n'aurait pourtant que ce qu'il mérite ! a grogné Mme Danvert.

*
* *

J'ai proposé :

– Si on inspectait la lingerie ?

– Seuls ? Ce n'est pas un peu dangereux ? a dit Nadget.

– Pas plus dangereux que traverser la route ou prendre une douche ! a rétorqué Milo en riant.

– Mais si le fantôme revient ? a insisté Nadget.

– On lui montrera tes photos de La Baule ! a lancé Rose.

On était en salle d'étude. Pourtant bavarder ne posait aucun problème. M. Moriarty était censé nous surveiller, mais il passait son temps à soupirer, à pianoter sur son portable, trop absorbé pour lever le nez. Il n'a même rien dit à Eudoxie, qui grignotait du pop-corn avec de grands scrouch scronch.

Après l'étude, on s'est précipités en douce à la lingerie. J'avais pioché la clef sur le tableau de la loge. Mais, à la porte, une voix nous a interpellés.

– Hé ! Qu'est-ce que vous fabriquez là, les minots ? s'est exclamée Cathy, la lingère, en faisant irruption au bout du corridor.

J'ai bafouillé :

– Euh. C'est maman. Elle a besoin de torchons propres.

Cathy a froncé les sourcils.

– C'est pas l'un de vous, des fois, qui aurait emprunté un de mes draps pour jouer à l'homme invisible ?

– Non, madame Cathy, a dit Milo en m'enfonçant son coude dans les côtes. Vous avez donc perdu un drap ?

Un drap… Ça pouvait aider à jouer les fantômes, n'est-ce pas ?

– Je venais de le plier, bien repassé. Je le pose dans cette corbeille, je me retourne et… hop ! Disparu !

– Très intéress… euh, comment aurait-il disparu, à votre avis ? a questionné Rose.

– Si je le savais ! Allez, ouste ! Décampez ! La fin de la récré vient de sonner !

Dans le parc, le Club de la Pluie s'est réuni. Autour, les boules de neige pleuvaient.

– Les fantômes, ça n'existe pas, ai-je dit.

– Ça dépend, a fait Nadget. Dans la série télé *Ghost Runner*, oui.

– Quelqu'un essaie d'effrayer Jeanne Eyrmont en agitant des draps blancs.

– Et de lui faire croire qu'elle va mourir avec des goélands verts et rouges, a poursuivi Rose.

– Charles Moriarty ? Pour se venger d'être repoussé ?

– Oh ! a dit Nadget. Il a l'air si déprimé, si malheureux. Ça m'ennuierait qu'il soit le méchant de cette histoire.

*
* *

Au CDI, on a compulsé un tas de bouquins sur les oiseaux des mers. On a appris plein de choses, mais rien sur des goélands qui changent de couleur.

– Des goélands rouges ? Et verts ? a répété, perplexe, M. Lenvers, le documentaliste. Vous ne confondez pas avec les caméléons ? Demandez à votre professeur de sciences. Ou bien à M. Moriarty. Il prépare un doctorat de chimie.

On a vérifié que M. Moriarty surveillait bien la permanence des sixièmes B, et on a décidé d'aller faire un tour du côté de sa chambre.

Elle était fermée. Mais, sur le pas de la porte, Milo a désigné un gros sac de linge entr'ouvert. Des draps blancs, chiffonnés, y étaient entassés.

Était-ce notre pion qui jouait au fantôme ?

– À quoi tu penses, Rose ? ai-je demandé en la voyant froncer les sourcils.

– Au drap volé. Il a disparu alors que Cathy se trouvait dans la lingerie. Et c'est aussi dans la lingerie que le « fantôme » a serré le bras de Jeanne et lui a glissé le message !

– Tout nous ramène à cet endroit ! a conclu Nadget.

– Il faut y retourner.

– Allons-y avec Clipper, ai-je proposé. Il reniflera peut-être un indice.

en plein coeur de l'énigme

Charles Moriarty, leur pion préféré, serait-il un vil menteur ?

Son histoire d'amour avec Jeanne Eyrmont semble bien compliquée...

Les menaces du mystérieux fantôme se réalisent !

Qui terrorise la pauvre Jeanne, et pourquoi ?

MYSTÈRE ET BOUT DE LAINE

À minuit, nouvelle expédition nocturne pour le Club de la Pluie. Direction la lingerie.

On a fouillé partout. Sur les armoires. Dedans. Dessous. Les étagères, les placards. Rien. On a fini assis par terre.

– Découragée ! a déclaré Nadget à mi-voix. Je suis découragée. Pas d'autre mot. Dé-cou-ra-gée !

– Attends, a gloussé Rose. Es-tu en train de nous dire que tu es découragée ?

J'ai bondi vers la porte, un doigt sur les lèvres. J'ai retenu Clipper qui s'était mis à gronder. Je l'ai fait taire en posant ma main sur sa tête. Milo a vite éteint la lumière. On est restés tous les cinq immobiles, silencieux, dans l'obscurité.

On a entendu un grattement. Puis un grincement… Un grand souffle d'air nous a glacés.

Quelqu'un était dans la pièce, avec nous !

Pourtant la porte était demeurée fermée.

Clipper n'en pouvait plus. Il a bondi à cet instant en jappant, et il m'a échappé. Il y a eu une cavalcade et ses aboiements ont résonné, de plus en plus loin. Clipper poursuivait le « quelqu'un » je ne sais où !

– Vite ! Rallume !

Nadget a retrouvé l'interrupteur. Et la surprise nous a cloués de stupeur !

Un des placards était grand ouvert et, au fond, derrière une pile écroulée d'oreillers, une ouverture sombre béait dans un souffle glacial.

Un passage secret !

On s'est regardés. Le trou noir n'était guère engageant ! C'est seulement dans les livres que les personnages foncent tête baissée dans ces trucs-là.

Notre « fantôme » nous guettait, peut-être ? Embusqué ?

Subitement, une tête hilare est sortie du trou sombre.

– Clipper ! on a crié tous en chœur.

Mon chien tenait un petit bout d'étoffe brune entre ses dents. Un carré de laine, moins large qu'une demi-page de cahier.

*
* *

— Mes chaussettes sont trouées ? a demandé
M. Belloc à Rose pliée en deux devant son bureau.

— Hep ! s'est indignée Mlle Mordent en surpre-
nant Nadget qui déroulait son écharpe. Si c'est pour
votre bonhomme de neige, je lui souhaite une angine.

Malgré notre ardeur, nulle part on n'a trouvé de
déchirure carrée sur aucun vêtement en laine marron.

— De la laine, tout le monde en porte par ce
froid ! a grommelé Rose quand le Club de la Pluie
s'est réuni, ce soir-là, en haut de la grande tour.

— Jamais remarqué qu'il y avait autant de fringues
marron sur cette planète, a renchéri Milo, qui avait
passé le cours d'informatique à ramper sous les tables
d'ordinateur pour vérifier les ourlets.

— Et je connais au moins cinquante élèves qui
ont une jupe ou un pantalon de cette couleur ! a
opiné Nadget. J'ai moi-même un béret à pompon
qui…

— Mais, dis-je, il existe forcément aux Pierres-
Noires un vêtement où il manque ce carré arraché
par les crocs de Clipper !

– Si on le trouve, a conclu Rose, on tiendra notre fantôme.

Le bruit d'une course a traversé le couloir. Mme Danvert est apparue, renouant en hâte la ceinture de sa robe de chambre, ses mollets pâles couverts de chair de poule.

– Vite! a-t-elle dit, la voix angoissée. Jeanne se trouve mal.

On s'est précipités. Au fond d'un fauteuil, livide, Jeanne rouvrait les yeux.

– Elle se sentait barbouillée, a raconté Mme Danvert, très émue. Je lui préparais un verre de bicarbonate dans la salle de bains… quand elle a crié! J'ai accouru. Je l'ai trouvée évanouie.

Rose a étouffé une exclamation. Du doigt elle a désigné le cadre sur la commode.

– Là! Là!

Sur le dessin, un autre goéland avait changé de couleur.

Il était devenu d'un vert sombre!

Le goéland passe au rouge, prends garde à toi !
Le goéland devient vert, la mort est devant toi !

LE CLUB SUR LE GRILL !

Clipper a arraché un bout de tissu à l'habit du fantôme !

...À qui appartient-il ?

Vite ! L'autre goéland a changé de couleur... Jeanne est en danger !

TOUT S'ÉCLAIRE

Le moment de stupeur passé, j'ai pris une décision.

– Je vais chercher quelqu'un !

Je suis sorti d'un pas ferme. La première personne que j'ai rencontrée a été... Charles Moriarty ! Mais pas le temps de m'interroger sur les motifs de sa présence dans les parages.

– Jeanne a eu un malaise ! ai-je dit.

Je lui ai tout expliqué en deux mots : le goéland devenu rouge sang, son jumeau désormais d'un vert funeste. J'ai guetté son visage avec attention. Il exprimait une inquiétude sincère.

– Conduis-moi auprès d'elle !

Dès qu'elle l'a aperçu, Mme Danvert lui a barré le passage.

– Arrière !

– Laisse-le entrer, a dit Jeanne, d'une voix infiniment douce.

Ses yeux s'étaient emplis de larmes. M. Moriarty s'est jeté à genoux au bas du fauteuil et s'est emparé de ses mains.

– Jeanne, ma chérie. Tu dois m'écouter !

– Vous ne manquez pas d'air ! l'a interrompu Mme Danvert ! Vous vous êtes conduit comme un voyou avec elle.

– Jeanne, ma Jeanne ! a-t-il continué sans écouter. Ce jour-là je ne pensais qu'à une chose : te retrouver à la gare, t'accompagner chez tes parents, leur demander ta main exquise. J'ai pris ma moto pour te rejoindre plus vite. Je pensais à toi. À nous ! Trop ! J'ai eu un accident. Je suis resté à l'hôpital, inconscient, plusieurs semaines. Puis il y a eu de longs mois de rééducation. Par orgueil, je voulais attendre d'être rétabli pour te revoir. Mais quand j'ai voulu t'appeler, tu avais changé d'adresse…

Jeanne lui a ouvert les bras en sanglotant. M. Moriarty s'y est jeté avec un gémissement de bonheur.

– Je… je ne voulais plus te voir, a-t-elle dit dans un soupir. Je croyais à une trahison. Ton absence m'avait fait tellement souffrir… Je savais que te revoir serait plus douloureux encore.

Nadget a soupiré, reniflé, s'est mouchée dans un mouchoir en dentelle.

Mais Rose ne perdait pas le nord.

– Comment un goéland bleu peut-il devenir vert ou rouge ? a-t-elle interrogé devant le dessin encadré.

– Certaines matières deviennent vertes si on verse dessus une solution acide. Et rouges si on y met une solution basique, a récité M. Moriarty tout en caressant les bras de sa dulcinée, sans pouvoir la quitter des yeux.

Jamais les membres du Club de la Pluie n'avaient suivi un cours de chimie avec autant d'attention. Basique ? Acide ? Quésaco ?

– Euh, des exemples ? a fait Milo d'une voix timide.

On ne voulait pas déranger, mais… c'était important, non ?

Devant nos mines perplexes, serrant toujours sa bien-aimée bien fort contre lui, Charles Moriarty a poursuivi :

– Eh bien, le jus de chou arrosé de vinaigre, ou de jus d'orange ou de citron, bref, d'acide, vire au rouge. Si on y met du savon ou du bicarbonate, c'est-à-dire des basiques, il vire au vert.

Milo, Nadget, Rose et moi, on s'est penchés comme un seul nez sur le dessin des goélands. Le rouge sentait vaguement le…

— … le citron ! a crié Nadget.

L'autre ne sentait rien. Mais… qui avait parlé de bicarbonate très récemment ?

Nous avons fixé Mme Danvert.

La dernière fois, quand le premier goéland était devenu rouge, n'était-elle pas en train de servir de la… citronnade ?

Avec un bel ensemble, nos regards se sont braqués sur sa robe de chambre.

En cet instant, elle était bel et bien marron. Pourtant, il n'y avait nulle trace du bout arraché par Clipper.

Soudain, j'ai eu un éclair. J'ai fait face à Rachel Danvert.

— C'est vous que Clipper a attrapée dans le souterrain !

Mme Danvert a émis un hoquet dédaigneux.

— Je ne vois pas de quoi tu parles, moucheron !

— La dernière fois, cette robe de chambre vous arrivait aux chevilles. Là, elle s'arrête sous le genou. Vous l'avez raccourcie et refait l'ourlet que Clipper a arraché. Cette nuit-là, dans la lingerie, vous alliez encore préparer un mauvais coup mais vous n'aviez pas prévu que le Club de la Pluie débarquerait… Vous vous êtes alors cachée dans le passage secret !

*
* *

— Melle Renard a tout expliqué à mes parents, ai-je dit le lendemain.

On chuchotait. On était au CDI, dans l'allée des Alexandre Dumas, celle qu'on préfère, c'est la plus éloignée du bureau de notre documentaliste.

— Dans son testament, le grand-père avait prévu que Rachel Danvert prendrait les rênes des Pierres-Noires au cas où sa petite-fille ne le pourrait pas. La cousine lui a fait une vraie guerre d'usure.

— Compris, a dit Milo. Tout en jouant à la gentille parente, elle pousse à bout Jeanne, lui fait croire qu'elle devient folle afin qu'elle renonce à s'occuper de notre pensionnat favori.

— Cette fourbe a avoué qu'elle projetait d'en faire un hôtel de luxe.

— Baah ! Quelle horreur !

— Pendant ce temps-là, le pauvre amoureux transi amassait secrètement des draps pour construire une corde et rejoindre sa belle en grimpant jusqu'à sa fenêtre. Comme dans les films ! a soupiré Nadget avec un sourire d'extase.

Son regard a flotté un long moment vers les ravissants nuages des amours contrariées.

Puis, soudain, il est tombé sur son poignet.

– Dites ! Maintenant que vous êtes super forts en chimie, je l'enlève comment, ce fichu tatouage au thé vert ?

Le mystère des chaussons rouges

raconté par
Milo

LA MALLETTE AU TRÉSOR

Dans la famille, on est forains depuis des siècles. Nous voyageons de ville en ville, la route est notre domicile. J'adore rouler en caravane, voir le paysage se transformer.

On nous appelle « gens du voyage ».

Papa et maman tiennent beaucoup à ce que j'aille à l'école. Je change donc plusieurs fois d'école dans une seule année. Ce n'est pas très facile, chaque fois je dois m'adapter.

Mais hier, quand mon père a annoncé que notre fête foraine reprenait la route de Saint-Malo, j'ai sauté de joie !

Car l'école que je préfère, où je me sens vraiment bien, où je me suis fait de vrais amis, elle se trouve là-bas. C'est un pensionnat nommé « les Pierres-Noires », un bon gros vieux château qui sent bon les corsaires et l'aventure !

Tante Astarté conduisait la camionnette. On l'appelle tous affectueusement « tante » même si elle n'a aucun neveu. Rouletabille, mon singe, devinait qu'on allait se séparer. Sa petite main gantée de blanc tenait la mienne.

On est arrivés le soir. La mer était gris octobre, et les nuages rouge magicien par-dessus les remparts noirs de la ville. Ambroise, le fils des gardiens et mon ami, nous attendait au portail avec son chien, Clipper :

– Hello Milo ! Bonjour madame Astarté ! Oh, salut Rouletabille !

Rouletabille a sauté à cheval sur le dos de Clipper qui s'est lancé au galop à travers le perron. Je me sentais heureux.

– Les filles sont là ?

– J'ai préféré leur réserver la surprise ! m'a répondu Ambroise.

– Trop bien si notre Club de la Pluie avait encore un mystère à résoudre !

– Vous qui lisez l'avenir, madame Astarté, a dit Ambroise d'un air malin, vous pouvez nous prédire ça ?

Ma tante a scruté sa paume :

– Je vois mille et une aventures ! a-t-elle dit en riant sous son turban à papillons et en agitant les hiboux d'ébène à ses oreilles. Elles finissent toutes bien.

Mlle Renard, la directrice, est venue à son tour nous souhaiter la bienvenue.

À cet instant, une longue voiture américaine rose, très luxueuse, est entrée par le portail resté ouvert, et a stoppé devant nous.

Un monsieur aux habits plus excentriques encore que ceux de tante Astarté en est descendu. Contre le jabot en dentelle de sa chemise, il tenait un chien grassouillet avec un petit nœud jonquille sur la tête.

– Ah! s'est-il exclamé, théâtral, avec de grands moulinets de son bras libre. Me voilà enfin!

Il a embrassé notre directrice. Elle a fait les présentations :

– Jim Watson, mon invité pour deux semaines.

Et là, pour la première fois de ma vie, j'ai vu ma tante, que rien ne perturbe jamais, devenir toute rose! Et bégayer :

– Jim… Watson!? Le célèbre acteur de Broadway? Je vous ai vu dans *Le Magicien d'Oz* à New York! Ma comédie musicale préférée!

Il semblait très flatté. Et elle, réellement impressionnée! J'ignorais que tante Astarté avait séjourné en Amérique. Quelle surprise! Quelle rencontre!

Vous comprenez maintenant pourquoi j'adore les Pierres-Noires ? Il s'y passe toujours un truc inattendu.

Rouletabille a sauté sur Jim Watson pour l'accueillir à sa façon. Clipper lui a emboîté le pas... Ç'a fichu la trouille au petit chien dodu qui a sauté et a couru se planquer sous la banquette de la voiture.

– Cléopâtre ! s'est écrié Jim Watson, l'air tragique. *My darling Cléopâtre* !

Il s'est engouffré dans l'auto à plat ventre pour la récupérer. Il a fait choir sur le gravier sa valise et une petite mallette empilées à l'arrière. Ambroise a récupéré la valise. Moi, j'ai ramassé la mallette... mais Jim Watson s'est redressé et me l'a vigoureusement arrachée des mains.

Il m'a foudroyé du regard, l'a serrée sous son bras.

C'est tante Astarté qui a fait sortir Cléopâtre hors de sa cachette, en lui fredonnant « Sur la mer calmée, un jour une fumée »... L'air de *Madame Butterfly*, son opéra favori. Ma tante est un génie des bêtes.

– Où puis-je prendre un bain et me reposer ? a lancé Jim Watson dans un soupir las.

Mlle Renard nous a salués avant de conduire son invité et la rondelette Cléopâtre dans leurs appartements au dernier étage de la tour, l'étage des invités.

On est restés silencieux.

Tante Astarté a pris congé sur une distribution générale de bises. Elle a emmené Rouletabille après m'avoir promis, dans un clin d'œil, de revenir «en visite». Avec Ambroise, on sait très bien ce que ça veut dire. Mais chut…

– Quel drôle de type, ce Jim Watson! a dit Ambroise en caressant la tête de Clipper.

– … Et sa mallette! Tu as vu de quelle façon il me l'a reprise? Comme si elle contenait le trésor du Grand Condor! J'aimerais bien savoir…

– Quoi?

– Si elle contient vraiment le trésor du Grand Condor!

RETROUVAILLES

— Aïe! gémissait Nadget sous les coups de brosse énergiques de Rose. Il y a une tête sous ces cheveux, tu es au courant, Rose Dupin? Tu es une fille dangereuse!

— Une tête avec une langue mais aucune cervelle! a riposté Rose en démêlant avec vigueur la tignasse de son amie.

— Tu es censée me peigner, pas me décapiter! Hé! a poursuivi Nadget lorsque la brosse s'est arrêtée. Où tu vas? Reste! J'aimerais bien râler encore un peu!

Elle a glissé un œil entre ses boucles et... à son tour, elle m'a aperçu. Elle a hurlé :

— Milo!!!

— Les garçons sont interdits chez les filles! a grogné Eudoxie, la pensionnaire qui partage le dortoir de Nadget et Rose.

Toujours le nez dans un bouquin d'anglais ou de sciences, Eudoxie est la bosseuse de la classe. Elle ne supporte pas le bruit. La pauvre, avec Nadget et Rose comme copines de dortoir, elle est servie.

– Sois contente, on part! lui a répondu Rose avec une grimace.

On s'est retrouvés sur le palier, enfin tous les quatre! Clipper jappait et bondissait partout.

– Le Club de la Pluie au complet! a soupiré Rose, ravie. On en oublie de se disputer, Nadget et moi!

– Ah? Vous vous disputiez? a souri Ambroise. De loin, on croyait que vous appreniez la langue des signes.

– Regardez-moi ce résultat… Rose m'a coiffée comme Justin Bieber! Oh, je suis si contente!

– D'être coiffée comme Justin Bieber?

– Qu'on soit ensemble, idiot! Maintenant, il n'y a plus qu'à trouver un petit mystère à se mettre sous la dent. Dites, que diriez-vous d'avoir un signe de ralliement entre nous? Un emblème rien que pour nous?

Elle a tiré de sa poche des brins de laine tissés multicolores.

– Par exemple, un bracelet chacun, a-t-elle dit. Ce serait notre insigne.

— Au club de foot de mon frère Aldebert, ils en ont tous un ! a dit Eudoxie, qui sortait du dortoir. Comme ça ils se reconnaissent.

— Toi, tu n'as pas besoin d'emblème, on te reconnaît partout, même quand tu te tais ! a assuré Rose en choisissant un bracelet qu'elle a ensuite noué à son poignet.

On en a tous fait autant, tandis qu'Eudoxie s'éloignait en levant les yeux au ciel.

— Et Clipper ? a dit Ambroise. Il est membre du Club, lui aussi.

— Voilà ! a fait Nadget triomphalement.

Ce bracelet-là était un peu plus long car c'était… un collier. À la fin on arborait tous fièrement l'emblème de notre club.

— Aux petits oignons ! a soupiré Nadget, ravie de son idée.

Restait plus qu'à dénicher l'énigme qui allait avec.

*
* *

La semaine s'est écoulée, scolaire et paisible.

On apercevait parfois Jim Watson. Il déambulait, l'air pénétré, ou tragique, ou romantique, ou de rien du tout, dans le parc, les couloirs, ou même sur la plage lors de nos leçons de voile, toujours sa gras-souillette petite Cléopâtre sur les talons. Nadget a parié qu'il répétait son prochain rôle.

Le vendredi, j'ai reçu un coup de fil. En classe de SVT, j'ai prévenu les autres tout bas :

– Tante Astarté vient ce soir avec Rouletabille.

Voilà le seul défaut des Pierres-Noires. On n'y accepte pas les singes ! Alors ma tante vient en secret. C'est le seul moyen de voir mon cher Rouletabille. Il me manquerait trop sinon. Le point de rendez-vous est au fond du parc, devant la grille.

*
* *

À dix heures, j'ai quitté le dortoir en silence. On entendait ronfler M. Lenvers, le documentaliste, responsable de l'étage des garçons.

J'ai retrouvé Ambroise et Clipper à l'étage au-dessous. Vu qu'il est le fils des gardiens, Ambroise a accès à toutes les clefs… utiles.

On a arpenté sans bruit les très longs couloirs des Pierres-Noires, tout de vents coulis et de granit gris. Les rayons de lune, par les fenêtres étroites, nous indiquaient le chemin. Même Clipper sait qu'il faut se taire.

Les filles attendaient au bout du dernier couloir, en pulls et écharpes, comme nous. Nadget a allumé sa petite lampe (dorée !) et on est sortis côté parc.

– Que font tous ces arbres dans ma chambre ? a marmonné Rose.

On s'est esclaffés tout bas. À l'endroit convenu, on a été accueillis par tante Astarté et Rouletabille qui a aussitôt voulu jouer au jockey avec Clipper. Mais on les a retenus, ils auraient rameuté tout le pensionnat ! On a bavardé. Les autres posaient des questions sur la fête foraine, les otaries, les nouveaux manèges. Nadget et Ambroise se sont fait prédire l'avenir.

– Je vois… des cadeaux… de très jolis cadeaux…

Après avoir annoncé, à une Nadget éblouie, l'arrivée d'un tee-shirt Isabel Riant, et à un Ambroise estomaqué celle de la dernière version de Super Gino IV, tante Astarté a conclu :

– Zou ! Il est temps de rentrer. Tout le monde au lit !

Après adieux et embrassades, elle est remontée dans sa camionnette avec Rouletabille. Nous, on a pris le chemin du retour.

Au milieu des arbres, tout à coup…

– Chut, a fait Nadget en éteignant sa lampe.

Des bruits de pas. On s'est faufilés derrière un buisson. On a attendu.

Dans le clair de lune, une haute et maigre silhouette avançait.

Une autre, petite et replète, trottinait… Jim Watson et Cléopâtre !

— La mallette ! Encore avec lui… a chuchoté Rose.

Théoriquement, Jim Watson n'aurait jamais dû s'apercevoir de notre présence. Théoriquement.

Mais en passant près de nous, Cléopâtre a secoué le petit nœud sur sa tête et s'est mise à grogner. Clipper a riposté illico. Après…

Après ça a été un sacré bon sang de bazar !

On a vu Clipper faire un bond !

Cléopâtre sauter dans les bras de son maître !

Son maître dégringoler et lâcher la mallette !

La mallette faire un vol plané !

Rose sauter pour la cueillir au vol, et la rater !

La mallette rebondir sur le crâne d'Ambroise !

Ambroise hurler : «Aïe ! »

La mallette s'écraser sur le rocher qui décore la pelouse !

Et s'ouvrir !

Deux objets, brillants comme des soleils couchants, bordés de duvet de cygne et de pierres étincelantes, ont roulé devant nos baskets…

LES SOULIERS EN RUBIS

C'était une paire de chaussons à talon, d'un rouge éblouissant.

Jim Watson s'est plié en deux pour tout ramasser en hâte, a refermé la mallette, l'a serrée sous son coude et a soulevé sa rondelette Cléopâtre.

– Eh bien, euh, bonsoir… a-t-il bredouillé. Euh, bonne nuit…

Bonsoir ? Il voyait une bande d'enfants vadrouiller seuls à onze heures du soir et… bonne nuit ? Nous, ça nous arrangeait.

Mais ça nous intriguait aussi drôlement !

– Lui aussi doit avoir des trucs à cacher, a conclu Ambroise quand je l'ai quitté devant la loge.

*
* *

– Jim Watson ne s'appelle pas Jim Watson ! a clamé, impériale, Nadget le samedi, en salle d'informatique. Regardez. Son vrai nom est Lucien Deléponge. Il est canadien.

– C'est courant qu'un artiste prenne un pseudo, a remarqué Rose. Surtout s'il s'appelle Deléponge.

– Je sais bien. Je note juste que ce n'est pas son vrai nom.

– Bravo. Mais c'est le principe du pseudo ! Il y en a qui ont le cerveau lent, a ajouté Rose avec une mimique vers Ambroise et moi.

– Tu parles de moi ? s'est rebiffée Nadget.

– Pas du tout. Je parle de Johnny Depp qui dort dans ce placard à balais.

– On raconte quoi d'autre sur ce Watson ? ai-je demandé en m'approchant de l'écran.

– C'est une star de Broadway. Il a aussi tourné des films avec…

– Ooooh… Regardez ! s'est exclamée Nadget en zoomant sur une photo.

– Les chaussons rouges !

– Dans *Le Magicien d'Oz*, a énoncé Nadget, l'héroïne Dorothy est emportée par une tornade au pays d'Oz. Elle réussit à revenir chez elle grâce à des souliers magiques en… rubis !

Nadget est imbattable en comédies musicales.

– En rubis ? ai-je répété.

On s'est regardés. Était-il possible que les pierres rouges qu'on avait vues soient de vrais rubis ?

*
* *

L'après-midi, il faisait beau sur la plage du Sillon. Rose et moi on avait choisi le groupe « voile », Ambroise et Nadget, le groupe « natation ».

Au beau milieu du cours, soudain, une silhouette a déboulé à longues enjambées. Jim Watson, affolé, échevelé, a pilé net dans un jet de sable devant Mlle Renard.

– Clé… Cléo… pâtre ! Les… sou… sou… souliers ! a-t-il hoqueté, à bout de souffle. Ils ont disparu !

Il s'est effondré, désespéré, dans les bras de notre directrice :

– Enlevés ! Volés !

LA DAME AU CHAPEAU ROSE

Une affaire pour le Club !

À l'heure du goûter, on s'est faufilés du côté de la vieille tour où se trouvent les chambres des invités. Au détour d'un corridor, on s'est figés contre un pilier car il y avait du bruit.

– *Cleopâtra ! My little Cléo !* se lamentait Jim Watson, bouleversé. Elle aura sûrement tenté de défendre les affaires de son maître bien-aimé ! Qui sait ce qui lui est arrivé…

Il s'est mouché. Derrière notre pilier, on a glissé un œil prudent. Les adultes des Pierres-Noires étaient réunis autour de lui, sur le palier.

– Il faut appeler la police, a décrété dit M. Belloc.

Jim Watson et la directrice ont échangé un regard. Nous, on ouvrait bien grand nos huit yeux et nos huit oreilles.

— La police ? Pas tout de suite, a soufflé mystérieusement Mlle Renard.

— Pourquoi pas ? se sont étonnés Mlle Mordent et M. Lenvers.

— Ces chaussons sont d'authentiques bijoux ! a gémi Jim. Vingt-deux rubis ! Voilà pourquoi ! Ce ne sont pas ceux du spectacle, mais des objets publicitaires spécialement fabriqués et prêtés par un joaillier de renommée mondiale. S'il l'apprend… Oh ! *God !*

Il s'est re-mouché dans un carré de soie mauve, et il a poursuivi :

— Crystal Flame, notre star qui joue Dorothy, les chausse uniquement dans les shows télévisés, les soirées, les galas, etc. Pour tromper les voleurs, Crystal transporte dans ses malles de simples copies, avec des pierres de pacotille. Mais moi… Moi, on m'a confié les vrais ! Personne n'était censé savoir ! Oh, c'est affreux…

— Essayons d'abord de les retrouver avec discrétion, a chuchoté Mlle Renard.

Jim Watson a plongé la main dans sa poche.

— J'ai trouvé ça près de ma mallette vide. Le voleur l'a perdu.

Sa main ouverte montrait un bracelet en fils tissés et colorés !

Ambroise, Nadget, Rose et moi, on a immédia-
tement vérifié à nos poignets. Tout le monde portait
son bracelet…

Sauf moi.

*
* *

Philippa Marlotte était une jeune femme en
imperméable et à petit chapeau rose. Son joli sourire
vous mettait en confiance :

— Appelez-moi Pippa, a-t-elle dit d'une voix
douce.

Mais ses yeux perçants, sous les bords roses, vous
rappelaient qu'elle était détective privé.

Elle a inspecté, vérifié, fouiné dans tous les dortoirs.

— Mlle Renard ferait mieux de nous confier l'affaire, a marmonné Ambroise. On est moins chers et
quatre fois plus nombreux.

— Cette détective ne nous empêchera pas de
mettre notre grain de sel, a décidé Rose. Que vas-tu
dire si on t'interroge, Milo ?

J'ai haussé les épaules :

— La vérité. J'ignore comment mon bracelet est
arrivé dans la chambre de Jim Watson.

— C'est comme moi, a dit Nadget, vous vous souvenez de mon cache-nez angora ? Impossible de mettre la main dessus.

— Oui, c'est en effet exactement la même chose, a ironisé Rose. En tout cas, Milo, j'espère que cette Philippa Marlotte ne s'arrêtera pas aux apparences.

*

* *

Alors que la classe préparait des exposés par groupes au CDI, la détective au chapeau rose et au joli sourire a débarqué, suivie de M. Lenvers. Il avait l'air tout chamboulé, notre documentaliste ! D'ailleurs, il n'a pas réussi à proférer un mot.

Elle a parlé à sa place :

— Nous savons qui a volé les mules rouges et kidnappé le chien.

Lentement, elle s'est tournée vers moi. M'a transpercé de son regard aigu. Tout en balançant le bracelet tissé entre le pouce et l'index.

— Milo ? Ce bracelet t'appartient, n'est-ce pas ? Beaucoup de gens t'ont vu avec. Explique-nous où et comment tu l'as perdu.

C'était horrible. Tous ces visages, tous ces regards

braqués sur moi… Je me sentais coupable alors que je n'avais rien fait.

– Je… ne sais pas, ai-je dit aussi dignement que je pouvais. Je ne m'en étais pas aperçu avant que…

Un jour, M. Kaross, l'Homme-Citrouille de notre foire, avait déclaré : «Les humains ont besoin de boucs émissaires. C'est comme ça.»

Voilà. Comment m'expliquer ? Un lourd silence, tel un piège, est tombé.

73

LE NŒUD DU PROBLÈME

Mais soudain, une voix forte s'est élevée :

– C'est mon bracelet ! a clamé Rose. J'en avais un tout pareil ! C'est moi qui l'ai perdu !

Pippa Marlotte a haussé un sourcil. Nadget a compris au quart de tour :

– Ah non ! a-t-elle crié. C'est le mien ! Voyez ! J'en ai plein d'autres dans ma poche !

– Mais pas du tout ! a claironné Ambroise. Il est à moi, celui-là !

J'en ai eu les larmes aux yeux. Mes amis ! ils se dénonçaient tous pour me soutenir et brouiller les pistes !

Bientôt, c'est toute la classe qui s'est mise debout.

– Moi aussi, j'en avais un ! a affirmé Angèle.

– Moi aussi, a dit Eudoxie, en agitant un ruban de satin jaune au-dessus de sa tête. J'adore faire des nœuds à mon poignet !

— Moi aussi ! a crié Humbert à côté d'elle. Euh, enfin, pas un machin en satin comme le tien, mais…

M. Lenvers avait retrouvé le sourire. Avec une mimique, il a gentiment reconduit la détective hors du CDI. Avant de refermer la porte, il lui a dit :

— Ils sont fous de ces bracelets. La mode, vous savez…

Quand il est revenu se rasseoir à son bureau, il a longuement promené son regard sur nous. Puis il a dit :

— Exceptionnellement, aujourd'hui, vous pouvez emprunter les mangas.

*
* *

Je ne sais pas comment ils ont appris mes ennuis, dans la famille, mais ils ont dépêché tante Astarté en messager express aux Roches-Noires.

À la récré, elle est arrivée, turban fumant, hiboux noirs de colère, yeux crépitant ! On l'a vue remonter l'allée du parc au pas de charge, et enguirlander Philippa Marlotte qui discutait avec Jim Watson et Mlle Renard.

— Mon neveu est un garçon loyal et honnête ! Comme toute notre famille ! Nous appartenons à un peuple libre et sans maison ! Ce qui ne veut pas dire voleur et sans scrupule !

J'ai sauté par-dessus la haie afin de la rejoindre et de la calmer. Impossible ! On ne pouvait plus l'arrêter.

Jim Watson a baissé le nez. Pippa Marlotte aussi. Avec un sourire en coin, Mlle Renard a invité ma tante à prendre le thé.

– Avec plaisir ! Je vous lirai l'avenir !

Avant de suivre la directrice, tante Astarté s'est tournée vers les deux autres :

– Quant à ceux-là, leur ligne de chance est toute tracée… Droit vers les oubliettes !

*
* *

Mlle Renard et tante Astarté ont dû bavarder une bonne moitié de l'après-midi car, lorsque la camionnette est repartie, le Club de la Pluie avait examiné, scruté, sondé une grande partie des couloirs des Pierres-Noires, ouvert toutes les portes accessibles.

En vain. On n'a trouvé ni Cléopâtre ni les chaussons aux vingt-deux rubis.

– Je viens de m'arracher trois cils, a annoncé Nadget, lugubre. Mauvais signe.

On a croisé Eudoxie dans l'escalier. Elle m'avait

épaté, tout à l'heure, en prenant ma défense ! Je ne l'en croyais pas capable. Preuve que je me fiais moi aussi aux apparences ! Je me suis avancé pour la remercier.

— C'est rien, a-t-elle dit avec un petit rire gêné.

— Tiens, a fait Nadget dans un élan d'amitié. Un bracelet pour ta queue-de-cheval. Ton ruban, là, est dénoué. C'est normal, le satin, c'est trop glissant.

Eudoxie a reçu avec ravissement le bracelet tissé que lui offrait Nadget.

— Tu me le donnes ? C'est vrai ? Celui-ci, je l'ai trouvé dehors, par terre. Il était un peu chiffonné. Merci, c'est super.

Enchantée, elle a continué son chemin à cloche-pied. Au sommet de l'escalier, Ambroise a stoppé net.

— Hé ! Vous avez remarqué… ?

— Quoi ? fit Nadget.

— Le ruban en satin ! Dans les cheveux d'Eudoxie…

On s'est fixés.

— Il est jaune ! s'est exclamée Rose.

Dans un même élan on a redévalé les marches, on a rattrapé Eudoxie qui ouvrait la porte, en bas.

— Où tu as dit que tu l'avais trouvé ? ai-je haleté, tremblant d'excitation.

– Quoi donc ?

– Le ruban ! a crié Rose.

– Mais… dehors. Je ne sais plus exactement où.

– Eudoxie ! a grogné Nadget. Essaie de te rappeler ou… euh, je t'arrache trois cils !

Rose a inspiré fort pour recouvrer son calme. Elle a posé la main sur le bras d'Eudoxie.

– Concentre-toi, Eudoxie. C'est important.

Eudoxie s'est gratté l'oreille.

– Je l'ai ramassé… derrière la loge. Euh, sur une plate-bande. Près d'un soupirail.

On a planté là Eudoxie et son ruban.

*
* *

Trois soupiraux donnaient sur une cave à cet endroit de la plate-bande. Tous poussiéreux, terreux, pleins de toiles d'araignée. Tous fermés, sauf un.

Celui de gauche n'avait plus de vitre. Des branches de cornouiller le dissimulaient en partie.

On a rampé à plat ventre, dans l'herbe, derrière les branches. Nadget a éclairé l'intérieur de la cave avec sa lampe porte-clefs (dorée).

– On voit quelque chose ?

– Des vieux cartons.

– Des vieilles caisses.

Non sans mal, on a secoué le cadre en métal. Il a fini par céder. Le soupirail s'est ouvert complètement. On avait les mains tartinées de terre.

Avec précaution, en s'aidant des caisses et des cartons amoncelés à l'intérieur, on est descendus dans la cave.

En fait, on a trouvé tout de suite…

LA VIE EST UNE COMÉDIE MUSICALE

– Cléopâtre ! ! ! !

Blottie dans une boîte, la petite chienne avait considérablement maigri… Trois chiots dormaient contre ses flancs. Elle nous a contemplés avec ce drôle de sourire des chiens, des fois, quand ils se moquent gentiment des humains. On s'est approchés.

Autour d'elle, il y avait… un cache-nez angora, une serviette éponge moelleuse, et un tas de choses très douces, très confortables. Parmi elles : les chaussons rouges bordés de cygne !

On était tous trop émus pour oser retirer quoi que ce soit au confort des chiots assoupis.

– Cléopâtre, en vraie reine, a fabriqué pour ses petits un nid bien douillet, a murmuré Rose.

– Bien caché, au chaud derrière cette chaudière, ai-je dit.

— Le mystère est éclairci, a chuchoté Nadget, la gorge nouée.

— Vive le Club de la Pluie, a marmonné Ambroise.

Et on n'a plus dit un mot.

*
* *

— Comment diable avez-vous deviné ? a demandé Pippa Marlotte, tout ébahie sous son chapeau rose.

— Une histoire de ruban jaune trop compliquée pour vous, a éludé Nadget en s'époussetant négligemment un ongle sur sa manche.

— Lors de l'échauffourée dans le parc, la nuit où la mallette s'est ouverte, Milo a dû perdre son bracelet. Jim Watson a tout ramassé en vitesse, sans faire attention, a raconté Rose. Et hop, il a enfermé le bracelet à l'intérieur de la mallette.

— … Lequel bracelet est retombé par terre quand il a rouvert la mallette plus tard. C'est-à-dire dans sa chambre, près de son lit.

— En revanche, ai-je observé, il y a bien quelqu'un qui a perdu quelque chose…

— C'est Cléopâtre ! a enchaîné Ambroise. Son

ruban de satin jaune est tombé lors des nombreux allers et retours qu'elle a fait pour préparer le nid de ses futurs nouveau-nés.

Du coin de son carré de soie mauve, Jim Watson a essuyé les chaussons rouges déjà nickel, vu qu'il les astiquait toutes les trois secondes. Après un échange de regards avec Pippa Marlotte, tous deux se sont penchés vers moi.

— Excuse-nous, Milo.

— Nous sommes désolés de t'avoir soupçonné.

J'ai souri. Je ne leur en voulais pas. J'ai simplement repensé à M. Kaross, l'Homme-Citrouille.

Ambroise a levé la tête et regardé bien en face Jim Watson.

— Pour vous faire pardonner… a-t-il commencé.

— C'est vous qui allez mettre en scène notre spectacle de Noël prochain ! a continué Rose.

Jim Watson a réfléchi, trituré un bouton de nacre de sa chemise framboise.

— Une comédie musicale, par exemple ? a susurré Nadget.

Il a réfléchi encore un peu. Le bouton de chemise ne tenait plus que par un fil. Puis il a hoché la tête.

— C'est d'accord.

— Super ! a hurlé Nadget. Je jouerai le premier

rôle ! Je chante comme une diva ! Et quand j'étais jeune, les gens m'appelaient « La danseuse folle » !

— Ah oui ? s'est moquée Rose. Et à partir de quel âge les gens ont-ils laissé tomber le mot « danseuse » ?

Retrouvez Rose, Nadget,
Ambroise et Milo
dans d'autres aventures :

Le Club de la Pluie
au pensionnat des mystères

et bientôt,

Le Club de la Pluie
et les forbans de la nuit

Les aventures de vos héros,
également disponibles dans la collection
de livres lus Chut *!*

Le Club de la Pluie
au pensionnat des mystères

et bientôt,

Le Club de la Pluie
brave les tempêtes

Du même auteur à *l'école des loisirs*

Collection NEUF

Le Club de la Pluie au pensionnat des mystères

Les joues roses
Minuit-Cinq
Aggie change de vie
Trouville Palace

Collection MÉDIUM

Fais-moi peur
Rome l'enfer
Faux numéro
Sombres citrouilles
Quatre sœurs (tome 1) : *Enid*
Quatre sœurs (tome 2) : *Hortense*
Quatre sœurs (tome 3) : *Bettina*
Quatre sœurs (tome 4) : *Geneviève*
Boum
Taille 42
Quatre sœurs (l'intégrale en grand format)
La bobine d'Alfred

Collection CHUT !

Minuit-Cinq
lu par Sandrine Nicolas et Benoît Marchand